¡EL LOBO llama a la PUERTA!

¡EL LOBO llama a la PUERTA!

Nick Ward

SCHOLASTIC INC.

New York Toronto London Auckland Sydney
Mexico City New Delhi Hong Kong Buenos Aires

A Rob O'Connor

Originally published in English as *A Wolf at the Door!*
Translated by Alexis Romay.

ISBN 0-439-41813-5

12 11 10 9 8 7 6 5   5 6 7/0

Printed in the U.S.A.   24

First Scholastic Spanish printing, September 2002

En una tarde apacible, mientras Papá Oso
cortaba leña en el jardín, Osito se sentó a
leer su libro preferido. Estaba muy cómodo
y tranquilo, cuando de pronto…

¡**Toc, toc!** alguien llamó a la puerta.

—¿Quién es? —preguntó
Osito, saltando de la silla.

—Soy yo, Billy —respondió una vocecilla—.
Por favor, déjame pasar.
Osito levantó el pestillo, abrió la puerta y...

¡Billy, el chivito gruñón entró corriendo!
—¡Cierra la puerta, rápido!
—susurró Billy—. Me persigue un lobo enorme que iba gritando: "¡Sal, sal! ¡Dondequiera que estés!".

—Lo vi en la cima de la montaña
—siguió diciendo Billy—. Vi su
sombra grande y oscura. Estaba
muy flaco y parecía muy malo,
así que corrí y corrí hasta
llegar a
tu puerta.

Osito trató de calmar a Billy.

—No te preocupes —le dijo—. Aquí estás a salvo.
Y comenzó a leerle un cuento.
Todo había vuelto a la normalidad, cuando...

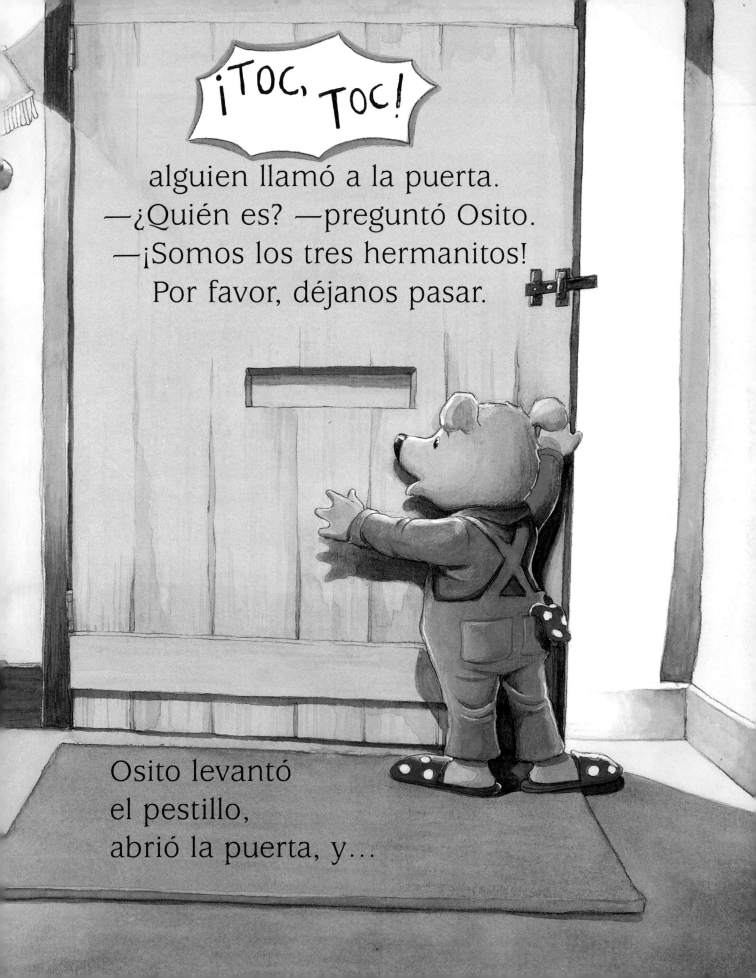

¡TOC, TOC!

alguien llamó a la puerta.
—¿Quién es? —preguntó Osito.
—¡Somos los tres hermanitos!
Por favor, déjanos pasar.

Osito levantó
el pestillo,
abrió la puerta, y...

¡los Tres Cerditos entraron corriendo!
—¡Rápido, cierra la puerta!
—gritaron—. ¡Nos persigue un lobo
enorme! Llegó a nuestra casa y rugió:
"¡Salgan, salgan! ¡Dondequiera que
estén!". Era un lobo feroz.
¡Y tenía mucha hambre!
—Y también era flaco y muy
malo —añadió Billy.

—Salimos de la casa y corrimos
y corrimos hasta llegar a tu
puerta —dijeron los
Tres Cerditos a la
vez.

Osito los dejó
entrar y cerró
la puerta.

—No se preocupen —dijo Osito—. Aquí están
a salvo. Y los sentó a todos juntos para leerles
su cuento favorito. Todo había vuelto a
la normalidad, cuando...

¡TOC, TOC!

alguien llamó a la puerta.
—¿Quién es? —preguntó Osito.
—Soy yo, Bo —respondió—.
Por favor, déjame pasar.

Osito levantó el
pestillo, abrió la
puerta y...

¡la Pastorcita Bo y todas sus ovejas entraron corriendo!
—¡Cierra la puerta! ¡Nos persigue un lobo enorme!
—¿Qué pasó? —preguntó Osito, cerrando la puerta rápidamente.

—Abajo, en la pradera —dijo la Pastorcita Bo— escuché un ruido entre los setos y vi su cola peluda. Entonces gritó:

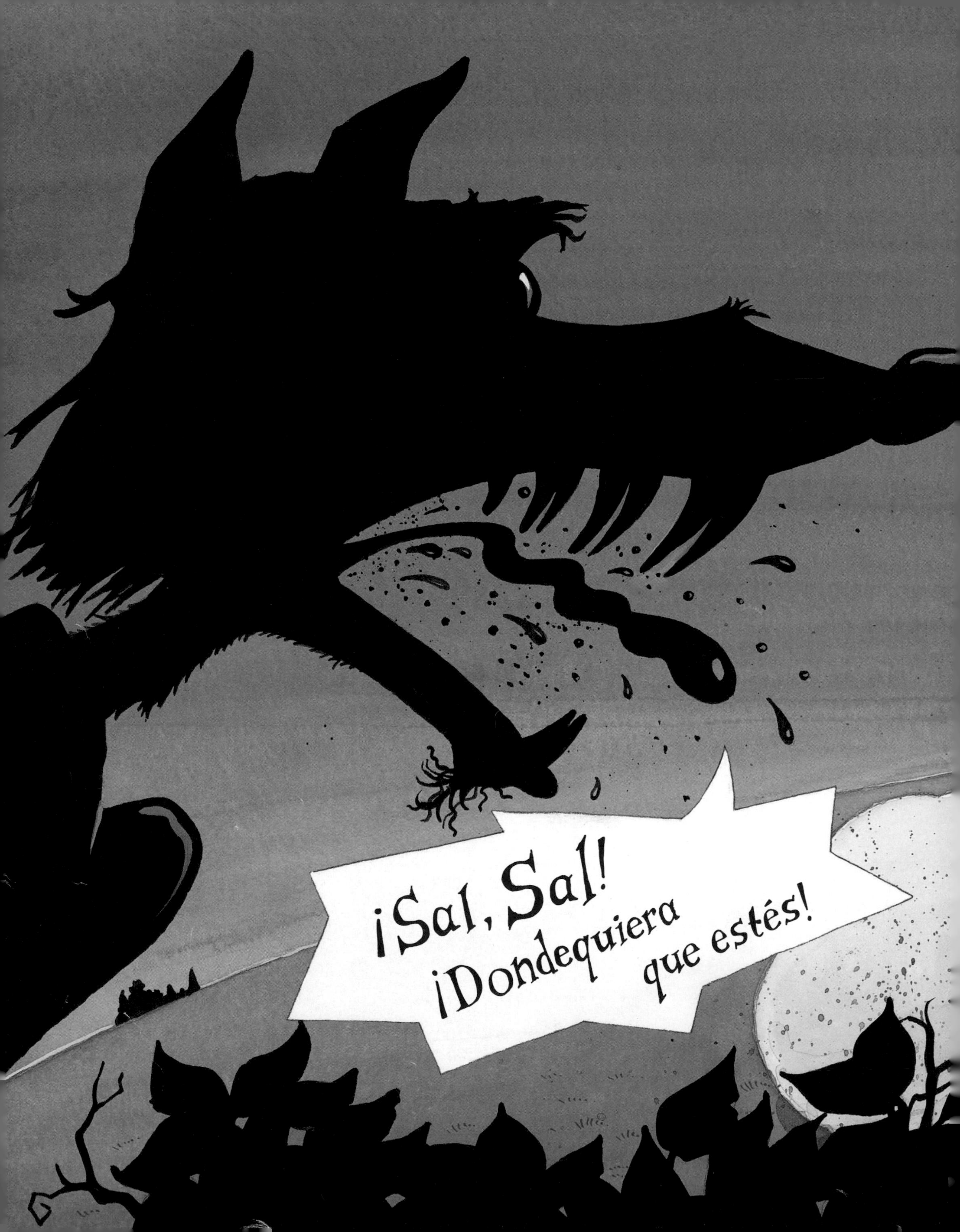
¡Sal, Sal!
¡Dondequiera
que estés!

—Empezamos a correr —dijeron las ovejas a coro—, pero el lobo nos pisaba los talones.

—Lo oímos respirar.

—Sentimos su aliento de lobo.

—¡Era enorme! —balaron todas juntas.

—Era feroz y estaba muy enojado —dijeron los Tres Cerditos.

—Era flaco y requetemalo —gruñó Billy.

—Y seguimos corriendo hasta llegar a tu puerta —dijo la Pastorcita Bo.

Osito los sentó a todos y, para tratar de calmarlos, comenzó a leerles su cuento preferido. Pero la lectura fue interrumpida varias veces por repetidos **¡Toc, toc!**

en la puerta.

Primero llegó
Caperucita Roja,

luego Cenicienta,

y, por último,
Ricitos de Oro.

Todas venían a esconderse
del lobo malvado.
—No se preocupen —les dijo
Osito—. Aquí están a salvo.

Papá Oso regresó del jardín.
—¡Madre mía! —exclamó—. ¿Qué
     hacen aquí todos tus amiguitos?

—Se han
escapado de un
lobo terrible
—respondió Osito.

Justo en ese momento...  alguien llamó a la puerta. Todos se quedaron muy, pero muy callados.

¡TOC, TOC!

Papá Oso abrió
la puerta lentamente.
—¿Quién es? —rugió.

¡Todos salieron y jugaron hasta la hora de dormir!
—¡Qué bien lo pasamos! —dijo Lobito antes de irse.
—¡Vuelve pronto! le respondió Osito.